CYFRINACH I

CYFRINACH BETSAN MORGAN

GWENNO HYWYN

Darluniau gan Jac Jones

Gwasg Gomer
1986

Argraffiad Cymraeg cyntaf - Tachwedd 1986
Ail Argraffiad - 1988
Trydydd Argraffiad - 1993

ISBN 0 86383 294 6

Cyhoeddwyd dan gynllun comisiynu'r Cyngor Llyfrau Cymraeg.

Dymuna'r cyhoeddwyr gydnabod cymorth a chyfarwyddyd Adrannau'r Cyngor Llyfrau Cymraeg a noddir gan Gyngor Celfyddydau Cymru.

Argraffwyd gan J. D. Lewis a'i Feibion Cyf., Gwasg Gomer, Llandysul, Dyfed

PENNOD 1

'Betsan Morgan! Dydych chi'n gwrando dim!'

Trodd Betsan ei phen yn sydyn oddi wrth y ffenestr. Roedd Mr. Lewis, prifathro Canolfan Breswyl Plas yr Hydd, wedi stopio ar ganol ei stori ac roedd y plant eraill i gyd wedi troi i edrych arni! Teimlodd ei hun yn cochi. Piti na allai suddo o'r golwg ac o glyw Catrin a Siwan oedd yn pwffian chwerthin y tu ôl iddi.

'Rŵan, Betsan,' meddai Mr. Lewis yn fwy caredig, 'mae'r plas 'ma'n lle diddorol dros ben ac yn ystod yr wythnos mi fyddwn ni'n dysgu llawer o'i hanes o. Dydych chi ddim wedi dod yma i wastraffu amser,' ychwanegodd gan droi at weddill y plant. 'Nid pawb sy'n cael cyfle i dreulio wythnos ym Mhlas yr Hydd. Rydych chi'n ffodus iawn, cofiwch. Yn ffodus iawn, iawn.'

Doedd Betsan ddim yn teimlo'n ffodus. A dweud y gwir, roedd hi'n teimlo'n hynod anffodus. Wrth gwrs, pan soniodd Mr. Jones yn yr ysgol bod lle i ddau o Safon Pedwar fynd ar wythnos o gwrs ym Mhlas yr Hydd a'i fod am roi'r cynnig cyntaf iddi hi a Lowri, ei ffrind, roedd hi ar ben ei digon. Roedd hi a Lowri wedi clywed llawer am y plas gan fod Mari, chwaer fawr Lowri, wedi bod yno'r flwyddyn cynt ac wedi cael amser ardderchog—gwersi yn y bore, chwaraeon drwy'r pnawn, disgo fin nos ac, yn well na dim, gwledda ar bop a chreision a fferins tan oriau mân y bore. Oedden, roedd Lowri a Betsan yn edrych ymlaen yn arw ac wedi cael miloedd o hwyl yn paratoi, yn pacio dillad ar gyfer tywydd braf a dillad ar gyfer tywydd gwlyb, dillad chwaraeon, dillad nofio, dillad disgo ac, wrth gwrs, gwerth ffortiwn o fferins nes peri i dad Betsan chwerthin a dweud, 'Bobol bach! Am wythnos rydych chi'n mynd. Nid am chwe mis!'

Ac wedyn neithiwr, a phopeth yn barod i gychwyn am y plas y bore 'ma, roedd mam Lowri wedi ffonio i ddweud bod Lowri'n sâl ac y byddai'n well iddi aros gartref. Roedd Betsan bron â thorri ei chalon. Doedd arni ddim mymryn o eisiau mynd heb Lowri i le dieithr ac i ganol plant ac athrawon dieithr. Roedd hi wedi methu'n lân â chysgu a thua hanner nos, ar ôl troi a throsi am dros ddwyawr, fe gododd ac aeth i lawr i'r stafell fyw lle'r oedd Mam a Dad yn gwylio'r teledu.

‘Plîs, Mam,’ meddai hi. ‘Ga i aros gartra hefyd? Fydda i ddim yn ’nabod neb yno. Fydd gen i ddim ffrind. O plîs, ga i beidio â mynd?’

Ond doedd dim troi ar Mam a Dad. Wedi’r cwbl, roedden nhw wedi talu’n ddrud am y cwrs.

‘Mi fyddi di’n iawn,’ meddai Dad. ‘Mi wneith les iti gyfarfod ffrindiau newydd.’

‘Efallai y down ni i edrych amdanat ti,’ meddai Mam. ‘Mi hoffwn i weld Plas yr Hydd. Roedd Nain yn arfer dweud bod ei nain hi, dy hen-hen-hen-nain di, Betsan, yn byw yno ers talwm. Aros funud! Mae gen i rywbeth iti.’

Aeth Mam i fyny i’r llofft a daeth i lawr yn cario cadwyn, cadwyn aur a chalon fechan yn sownd wrthi.

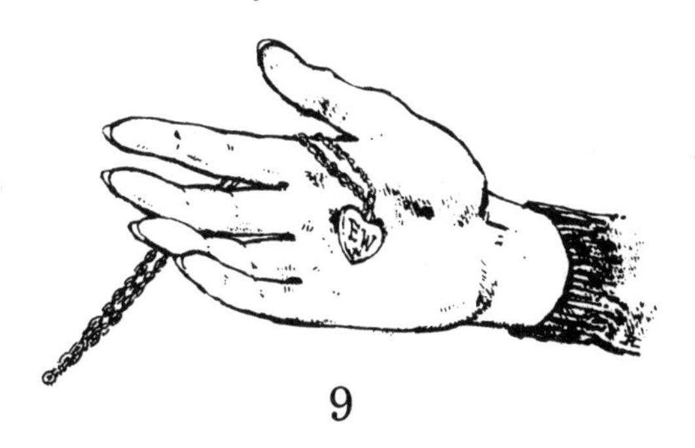

'Mi gei di hon, Betsan,' meddai. 'Dy hen-hen-hen-nain oedd yn byw yn y plas oedd piau hi. Edrych, mae llythrennau cynta ei henw hi ar y galon. E.W. Elisabeth oedd ei henw hi, yr un enw â thi, a dweud y gwir—ffurf ar Elisabeth ydi Betsan. Mi gei di wisgo'r gadwyn fory i fynd i Blas yr Hydd. Mi fydd yn gwmni iti!'

A rŵan, yn ei sedd wrth ffenestr stafell ddosbarth Plas yr Hydd, rhoddodd Betsan ei llaw dan ei siwmper a byseddodd y gadwyn. Cwmni wir! Byddai'n well o lawer ganddi gael cwmni Lowri. Fyddai dim rhaid iddi rannu llofft efo'r ddwy ferch ddieithr, Catrin a Siwan, wedyn. Y ddwy gnawes! Roedden nhw wedi bachu'r gwelyau wrth y ffenest cyn iddi gyrraedd y bore 'ma ac wedi gadael gwely mewn cornel y tu ôl i'r drws iddi hi. Doedd 'na fawr o le yn y stafell—mae'n debyg mai un o stafelloedd y morynion oedd hi ers talwm—ac roedd Catrin a Siwan wedi llenwi'r unig gwpwrdd efo'u dillad. Pan gyrhaeddodd Betsan y stafell ar ôl cario'i chês i fyny'r grisiau cul, serth oedd yn arwain i'r rhan honno o'r tŷ, roedd y ddwy yn hongian allan drwy'r ffenest i weld y gerddi. Wnaethon nhw ddim cymaint â throi i edrych arni, heb sôn am ei chyfarch. Ac wedyn, pan aethon nhw i'r stafell drws nesaf i sgwrsio efo'u ffrindiau o'r un ysgol, wnaethon nhw ddim cynnig i Betsan ymuno yn yr hwyl. Eisteddodd ar ei gwely'n gwrando ar y sgwrsio a'r chwerthin drws nesaf ac yn ceisio'i

gorau glas i lyncu'r lwmp yn ei gwddw. Yno y bu hi nes daeth sŵn y gloch fawr i alw pawb i lawr i'r stafell ddosbarth.

Byseddodd Betsan ei chadwyn eto a cheisiodd ganolbwyntio ar stori Mr. Lewis.

'Roedd teulu'r plas ers talwm yn gyfoethog iawn,' meddai. 'Edrychwch ar y stafell yma. Hon oedd stafell fwyta'r teulu. Edrychwch ar yr aur ar y nenfwd a sylwch ar y cerfiadau o gwmpas y grât . . .'

Aeth llais yr athro ymlaen ond roedd Betsan wedi dechrau synfyfyrio eto. Oedd, roedd y stafell yn arbennig o hardd. Roedd hi'n rhyfedd meddwl bod ei hen-hen-hen-nain wedi bod yn byw yma, wedi bod yn bwyta yn y stafell hon, efallai, ac yn cysgu yn un o'r stafelloedd anferth ar ben y grisiau mawr lle'r oedd yr athrawon yn cysgu.

'Ysgwn i,' meddai Betsan wrthi'i hun, 'pam roedd hi'n byw yma? Efallai ei bod hi'n gofalu am blant y plas neu'n perthyn o bell i'r teulu. Efallai . . .'

Cododd ei phen yn sydyn. Roedd Mr. Lewis yn dal i siarad.

'. . . yr Arglwyddes Elisabeth Wyn,' meddai. 'Roedd hi'n berson diddorol iawn. Mae hi'n amser cinio rŵan ond rywbryd yn ystod yr wythnos mi gawn ni hanes Elisabeth Wyn.'

Elisabeth Wyn! Roedd yr enw'n atseinio yng nghlustiau Betsan. Byseddodd y gadwyn dan ei siwmper eto. E.W.! Tybed?

PENNOD 2

Aeth diwrnod cyntaf y cwrs heibio'n araf, araf. Bu'r genethod yn chwarae pêl-rwyd drwy'r pnawn ar y cwrt o flaen y tŷ ond ni fwynhaodd Betsan y gêm o gwbl.

Wedyn, amser swper, pan geisiodd Betsan eistedd yn yr unig le gwag wrth fwrdd Catrin a Siwan, chafodd hi fawr o groeso.

'Mae'n ddrwg gen i ond rydyn ni'n cadw'r lle yna i Eirlys,' meddai Siwan.

'Ydyn,' ategodd Catrin. 'Mae *hi*'n un o'n ffrindiau ni.'

Bu'n rhaid i Betsan eistedd wrth fwrdd y bechgyn. Roedd y lwmp yn ei gwddw'n rhy fawr iddi fedru llyncu'r tatws a'r cig oedd o'i blaen. Gwthiodd y bwyd o gwmpas ar ei phlât am dipyn ac yna cododd a dringodd y grisiau serth i'w stafell fechan i fyny dan do'r tŷ.

'Mae'n rhaid imi drio gwneud ffrindiau efo nhw,' meddai wrthi'i hun. 'Pan ddôn nhw i newid ar gyfer y disgo, mi siarada i efo nhw.'

Ond pan ddaeth Catrin a Siwan, wnaethon nhw ddim ond rhuthro i mewn i gipio dillad o'r cwpwrdd cyn mynd drws nesaf at Eirlys a'r criw i newid. Fe glywai Betsan y sgwrsio yn glir.

'Ew! Rydw i'n lecio dy ffrog di!'

'Mi gei di fenthyg y siaced yma. Mi fydd hi'n ddel efo dy sgert di.'

Yna'n sydyn, eisteddodd Betsan i fyny'n syth. Roedden nhw'n siarad amdani hi!

'Merch ryfedd ydi Betsan, yntê!' Roedd hi'n siŵr mai llais Catrin oedd hwnna. 'Dydi hi byth yn dweud gair.'

'Efallai ei bod hi'n swil,' meddai rhywun arall ac fe gododd Betsan at y drws i glywed yn well. Ond roedd y merched yn barod a'r bwrlwm sgwrsio a chwerthin yn mynd ymhellach ac ymhellach ar hyd y coridor ac i lawr y grisiau nes gadael y lle yn ddistaw ac yn wag.

Doedd neb wedi cymryd sylw ohoni yn y disgo chwaith. Eisteddodd ar ei phen ei hun yn yr hanner tywyllwch heb ddim i'w wneud ond hel meddyliau.

'Tybed a oedd fy hen-hen-hen-nain—Elisabeth Wyn—yn hapus yn y plas 'ma? Rydw i'n casáu'r hen le!'

'Dal i synfyfyrio, Betsan?' meddai Mr. Lewis wrth ddawnsio heibio efo Miss Preis, yr athrawes. Roedd y ddau'n edrych yn ddoniol iawn gan fod cymaint o wahaniaeth yn eu taldra nhw. Doedd pen cyrliog Miss Preis ond

prin yn cyrraedd gwaelod barf y prifathro ac roedd yn rhaid iddi sefyll ar flaenau'i thraed i weiddi sgwrsio efo fo uwchben sŵn y disgo. Roedd yr olygfa yn gwneud i Betsan deimlo fel chwerthin ac, am funud, dechreuodd fwynhau ei hun.

Aeth i'w gwely'n syth ar ôl y disgo. Roedd hi'n llwyr fwriadu torri'r ias a sgwrsio pan ddeuai Catrin a Siwan i'r llofft, ond chafodd hi ddim cyfle. Roedd y ddwy'n llawn cynlluniau ar gyfer "gwledd ganol nos" yn y stafell drws nesaf. Gorweddodd yn ddistaw yn gwrando ar y ddwy'n newid ac yn mynd i'w gwelyau.

'Nos da, Miss Preis,' medden nhw'n glên pan ddaeth yr athrawes i ddiffodd y golau ac yna'r munud nesaf roedden nhw wedi sleifio allan yn cario llond bag o fferins a chreision.

Ceisiodd Betsan ei gorau glas i gysgu. Drwy'r amser y bu Catrin a Siwan yn gwledda drws nesaf bu'n troi a throsi ac yn ceisio anghofio am

Mam a Dad a Lowri. Ymhen hir a hwyr, daeth y ddwy ferch arall yn eu holau a setlo i gysgu gan bwffian chwerthin bob yn hyn a hyn ond ni ddeuai cwsg i Betsan. Erbyn dau o'r gloch y bore roedd hi bron â drysu.

'Fedra i ddim aros yma,' meddai hi wrthi'i hun. 'Dda gen i mo'r plas 'ma, hyd yn oed os ydw i'n perthyn i Elisabeth Wyn. Mi a' i i chwilio am ffôn a gofyn i Mam a Dad ddod i fy nôl i.'

Cerddodd Betsan ar flaenau'i thraed ar hyd y coridor cul. Roedd prennau'r llawr yn gwichian dan ei thraed ac yn rhywle roedd drws heb ei gau yn gwneud sŵn crafu.

'Dyma ran y morynion o'r tŷ, mae'n siŵr,' meddyliodd Betsan. 'Gobeithio nad oes ysbryd yr un ohonyn nhw'n cerdded!'

Aeth ymlaen ar hyd y coridor, heibio i ben y grisiau cul. Roedd tro yn y coridor wedyn a doedd y lamp a losgai y tu allan i stafelloedd y genethod ddim yn taflu golau rownd y gornel.

Roedd hi'n ddu fel y fagddu yno. Ymbalfalodd Betsan ymlaen yn araf gan deimlo ei ffordd ar hyd y wal. Roedd ei chalon yn curo'n gyflym, gyflym. Roedd arni flys troi'n ôl a chuddio o dan flancedi cynnes ei gwely, ond roedd am siarad efo Mam a Dad. Yn sydyn, safodd yn stond. Ar draws y coridor, yn union o'i blaen, roedd drws mawr trwm. Teimlodd Betsan am y dwrn a'i droi. Yn araf, gwthiodd y drws a chamodd drwodd. Roedd hi bron fel camu i dŷ hollol wahanol. Yma roedd y coridor yn llydan a'r nenfwd yn uchel. Treiddiai golau'r lleuad drwy'r ffenestr wydr-lliw anferth ar ben y grisiau a gwelai Betsan bod paneli hardd ar y waliau a phatrymau aur ar y nenfwd.

'Yma roedd teulu'r plas yn cysgu ers talwm, mae'n rhaid,' meddai wrthi'i hun. Ac yna cofiodd yn sydyn, 'Yma mae'r athrawon yn cysgu rŵan. Mae'n well imi fynd yn ôl a mynd i lawr y grisiau cul i chwilio am ffôn.'

Trodd yn ôl am y drws mawr trwm ac, wrth droi, gwelodd ddarlun ar y wal o'i blaen—darlun anferth a'i ffrâm aur yn disgleirio yn y golau gwan. Syllodd Betsan arno a'i llygaid yn fawr, fawr. O roedd y ferch yn ddigon o ryfeddod! Roedd hi'n eistedd wrth ffenestr a'i ffrog laes gwmpasog o felfed glas golau yn gwneud iddi edrych fel tywysoges. Ond byddai'n hardd mewn unrhyw ddillad gyda'i gwallt du cyrliog, ei chroen clir a'i llygaid gleision.

'Un o ffenestri'r plas, rydw i'n siŵr,' meddyliodd Betsan a chamodd yn nes at y llun i ddarllen yr ysgrifen oddi tano. Ac yno mewn llythrennau euraid gwelodd yr enw, 'YR ARGLWYDDES ELISABETH WYN'. E.W.! Dyma hi! Gwthiodd Betsan ei llaw dan ei gwisg nos i fyseddu'r gadwyn a chraffodd yn agos ar y llun. Oedd, roedd rhimyn o aur am wddw'r ferch a gallai daeru bod ffurf calon fechan i'w weld o dan y melfed glas. Gwasgodd

Yr Arglwyddes Elisabeth Wyn

Betsan y gadwyn yn dynnach a heb feddwl rhwbiodd fymryn ar y galon fechan. Yr eiliad honno teimlodd ryw benysgafnder rhyfedd. Roedd y llun yn troi, paneli'r waliau a'r nenfwd yn troi, y grisiau a'r ffenestr wydr-lliw yn troi, troi, troi a hithau'n suddo i dywyllwch mawr . . .

PENNOD 3

Agorodd Betsan ei llygaid. Roedd hi'n sefyll o hyd ar ben y grisiau mawr a golau cynnes yr haul yn treiddio drwy'r ffenestr wydr-lliw ac yn taflu cysgodion o'i chwmpas. Golau'r haul! Ond oriau mân y bore oedd hi! Doedd bosib ei bod wedi bod yno am oriau? A sut nad oedd yr athrawon wedi sylwi arni wrth fynd i lawr at eu brecwast? Camodd Betsan yn nes at y grisiau ac wrth symud clywodd sŵn siffrwd o gwmpas ei thraed. Roedd hi'n gwisgo ffrog laes—ffrog laes hardd o sidan lliw rhosyn! Edrychodd o'i chwmpas yn wyllt. Roedd y paneli ar y waliau o hyd a'r patrymau aur ar y nenfwd. Ac roedd y darlun yno yn yr un lle yn union. Rhoddodd ei llaw dan ei ffrog sidan. Oedd, roedd y gadwyn am ei gwddw. Ar hynny, clywodd lais. Roedd dyn yn dringo'r grisiau, dyn wedi ei wisgo mewn dillad tebyg i luniau pobl ers talwm a chynffon hir ei gôt goch yn taro yn erbyn ei goesau wrth iddo gamu'n gyflym tuag ati. Roedd o'n gwenu ac, am ryw reswm na allai ei esbonio, teimlai Betsan yn sobor o falch o'i weld.

'Edmygu dy lun wyt ti, Elisabeth fach?' meddai pan gyrhaeddodd ben y grisiau a throdd Betsan i weld efo pwy roedd o'n siarad. Doedd neb arall yno! Daeth y dyn ymlaen a rhoi ei fraich am ei hysgwyddau.

'Mae'r llun yn dda,' meddai'r dyn. 'Ond dydi o ddim yn gwneud cyfiawnder â'm merch fach i. Does 'na neb tlysach na hon yng Nghymru gyfan.'

Plygodd i blannu cusan ar ei thalcen. O roedd Betsan yn teimlo'n ddiogel braf. Roedd hi'n teimlo'n od hefyd, yn teimlo fel Betsan ac fel

Elisabeth yr un pryd. Clywodd ei llais ei hun yn siarad.

'Mynd i hela rydych chi, 'Nhad?' meddai hi. 'Rydw i am dreulio'r pnawn yn yr ardd. Mae hi mor braf heddiw.'

'Dyna ti, 'nghariad i. A heno, dim ond ni ein dau fydd yma i ginio. Mi gawn ni sgwrs bryd hynny.'

Am funud daeth cysgod dros wyneb Elisabeth. 'Dim ond ni'n dau!' Roedd hi'n chwith ofnadwy meddwl na

fyddai Mam byth eto'n eistedd wrth y bwrdd yn y stafell fwyta. Er bod dwy flynedd wedi mynd heibio er pan fu farw, roedd rhywbeth bach yn atgoffa Elisabeth ohoni o hyd ac yn cymylu ei hapusrwydd. Ond roedd ei thad mor glên wrthi.

'Byddwch yn ofalus wrth hela,' meddai wrtho a rhedodd i lawr y grisiau i'r cyntedd mawr. Agorodd y gwas y drws iddi ac aeth allan i'r ardd flodau hardd o flaen y tŷ. Safodd yn stond. Roedd y lle yn ei hatgoffa o rywbeth. Am funud, dychmygodd ei bod yn gweld llun o gwrt caled a merched mewn dillad rhyfedd yn chwarae pêl a hithau'n sefyll yn unig a digalon. Rhwbiodd ei llygaid a diflannodd y llun.

'Mae'n rhaid fy mod i wedi bod yn breuddwydio,' meddai wrthi'i hun a cherddodd ymlaen rhwng y gwelyau rhosod a'r llwyni lliwgar at yr afon fechan a lifai drwy ganol yr ardd. Yno, yn union ar lan yr afon, roedd tŷ bychan un stafell y trefnodd ei thad i'r gweision ei adeiladu iddi ddeng mlynedd yn ôl pan oedd hi'n bump oed.

Estynnodd Elisabeth lyfr o'r cwpwrdd yn y tŷ bychan ac eisteddodd ar un o'r cadeiriau i'w ddarllen. Ond doedd ganddi fawr o amynedd. O byddai'n braf cael cwmni merch o'r un oed â hi i sgwrsio a chwerthin.

'Lle unig iawn ydi Plas yr Hydd er pan fu Mam farw,' meddyliodd. 'Mae 'Nhad mor brysur ac yn gorfod treulio llawer o amser yn Llundain. Mae'n rhyfedd meddwl bod dros ugain o weision a morynion yn byw yn y plas 'ma ac nad ydw i byth bron yn cael sgwrs â'r un ohonyn nhw!'

Cododd a cherddodd at y bont dros yr afon. Ar y llwybr oedd yn arwain o gefn y tŷ gwelai Leusa, un o'r morynion ifanc, yn camu'n ofalus yn ei ffrog laes ddu rhag colli'r pethau ar yr hambwrdd mawr a gariai.

Roedd hi'n arferiad bod rhywun yn

dod â the i'r tŷ bychan wrth yr afon bob pnawn braf.

'Oni bai bod Leusa yn forwyn, mi fydden ni'n dwy yn ffrindiau mawr,' meddyliodd Elisabeth. 'Rydyn ni'n dwy yr un oed fwy neu lai, a hi ydi'r unig un sy'n siarad yn naturiol efo fi. Mae ei llygaid hi'n chwerthin drwy'r amser. Ond thâl hynny ddim. Morwyn ydi hi ac arglwyddes ydw innau.'

Am funud daeth niwl o flaen ei llygaid a rhyw gof pell i'w meddwl—cof amdani ei hun yn trio cysgu mewn llofft fechan ar ben grisiau cul y morynion. Ond yna ciliodd y cof a diflannodd y niwl. Cerddodd yn araf yn ôl at y tŷ bychan i gyfarfod Leusa.

'Eich te, arglwyddes,' meddai honno'n ddiniwed er bod ei llygaid yn chwerthin.

'Diolch, Leusa,' atebodd Elisabeth ac yna ychwanegodd yn sydyn. 'Leusa, eistedd am funud. Mae 'na ddigon o de i ddwy yma.'

'O feiddia i ddim, arglwyddes. Maen nhw'n fy nisgwyl i'n ôl yn y gegin. Wel . . . o'r gorau. Dim ond am funud.'

Cafodd y ddwy filoedd o hwyl y pnawn hwnnw wrth fwyta eu te yn y tŷ bychan. Roedd Leusa'n fwrlwm o ddireidi a chwarddodd Elisabeth nes roedd ei hochrau hi'n brifo wrth ei gwylio'n dynwared Evans, y bwtler.

'Mi wnawn ni hyn bob dydd, Leusa,' meddai pan fynnodd y forwyn bod yn rhaid iddi fynd yn ôl at ei gwaith. 'Mi ddweda i wrth Evans mai ti sydd i ddod â'r hambwrdd bob pnawn ac mi drefna i efo fo dy fod ti'n cael aros am awr neu ddwy. O mi gawn ni hwyl!'

Aeth gweddill y pnawn heibio yn sydyn i Elisabeth a chyn hir roedd hi'n amser iddi newid ar gyfer cael cinio gyda'i thad. Gwisgodd ei ffrog orau—ei ffrog felfed las—a cherddodd i lawr y grisiau i ymuno â'i thad yn y cyntedd. Roedd yntau wedi newid a byseddodd Elisabeth ddefnydd llyfn ei gôt ddu wrth gymryd ei fraich i gerdded i'r stafell fwyta. O roedd hi'n braf cael bod yn agos ato!

Yn y stafell fwyta roedd popeth yn barod a'r rhimyn aur cul ar ymyl y llestri gwynion yn disgleirio yng ngolau'r canhwyllau. Deuai arogl bwyd hyfryd o'r desglau ar y cwpwrdd cerfiedig yn y gornel. Wrth y cwpwrdd safai Evans, y bwtler, a dau was arall a safai'r tri yn hollol lonydd wrth i dad Elisabeth ei harwain at gadair wrth ben y bwrdd.

'Cadair Mam,' meddyliodd Elisabeth ac, am funud, daeth cysgod dros ei hwyneb eto a syllodd yn drist ar y darlun o'i mam ar y wal uwchben y lle

tân. Gallai daeru bod y llygaid gleision hardd yn gwenu arni.

'O Mam!' meddyliodd. 'Mae'n rhyfedd yma hebddoch chi.' Trawodd ei llygaid ar yr Hydd Aur gwerthfawr a safai ar y silff ben tân o dan y llun. Trysor Plas yr Hydd!

'Maen nhw'n dweud bod yr Hydd Aur yn dod â lwc i'r teulu,' meddyliodd. 'Ac efallai bod hynny'n wir. Er ein bod ni wedi colli Mam, mae 'Nhad a minnau'n eithaf hapus. Rydyn ni'n gymaint o ffrindiau.'

Sylweddolodd bod ei thad wedi dechrau dweud hanes yr helfa a throdd ato gan wenu i ddweud hanes ei phnawn hithau.

'Mae'n dda iti gael cwmni rhywun ifanc weithiau,' meddai ei thad. 'Ond rhaid iti gofio mai morwyn ydi Leusa. Mae gen i newyddion fydd yn dy wneud di'n hapus iawn.'

Roedd Elisabeth ar bigau'r drain eisiau clywed y newyddion ond bu'n rhaid iddi aros i Evans a'r gweision eraill orffen arlwyo'r bwyd a mynd yn ôl i'r gegin gan gau'r drws yng nghornel y stafell ar eu holau. Yna, pwysodd ei thad ymlaen dros y bwrdd.

'Elisabeth,' meddai. 'Yn ystod fy amser yn Llundain rydw i wedi dod yn ffrindiau arbennig â rhywun. Cymraes ydi hi—Isabel, gweddw yr Arglwydd Prys o Fôn. Mae ganddi un ferch tua'r un oed â thi. Harriet ydi enw'r ferch ac mi fydd yn ffrind da iti.'

Doedd Elisabeth ddim yn deall. 'Ydyn nhw'n dod yma i aros, 'Nhad?' gofynnodd.

'Maen nhw'n dod yma i fyw,' atebodd ei thad gan wenu. 'Rydw i wedi gofyn i'r Arglwyddes Isabel fy mhriodi i ac mae hi wedi cytuno.'

Ceisiodd Elisabeth wenu ond roedd hi'n teimlo'n rhyfedd. Roedd düwch o flaen ei llygaid a llais ei thad yn swnio'n bell. Roedd ei wyneb o'n troi, y stafell yn troi, popeth yn troi, troi, troi . . .

'Betsan! Betsan Morgan! Mae'n amser codi!'

Agorodd Betsan ei llygaid. Roedd Catrin a Siwan wedi gwisgo ac yn barod i fynd i lawr i gael brecwast.

'Mae'n well iti frysio,' meddai Catrin yn ddigon clên cyn rhuthro drwy'r drws i ymuno â'i ffrindiau.

Eisteddodd Betsan i fyny. Roedd hi'n cofio'r cyfan mor glir—yr ardd flodau o flaen y plas, y tŷ bychan wrth yr afon, Leusa'r forwyn yn dod â the a hithau ei hun yn gwisgo ffrog laes ac yn actio arglwyddes. Na, nid actio arglwyddes. Am gyfnod neithiwr, hi *oedd* Elisabeth Wyn. Edrychodd ar ei wats. Roedd hi'n wyth o'r gloch. Felly, roedd hi wedi bod yn y gorffennol am chwe awr. Ond nid oriau mân y bore oedd hi yno ond pnawn a gyda'r nos. Doedd y peth ddim yn gwneud synnwyr o gwbl ond roedd hi'n berffaith sicr iddi fod yn Elisabeth am gyfnod.

'Sut?' meddyliodd Betsan. 'Efallai bod a wnelo'r ffaith bod Elisabeth yn hen-hen-hen-nain imi rywbeth â'r peth. A dweud y gwir, roedd hi'n braf iawn bod yn arglwyddes a chael pawb yn tendio arna i.'

Yn sydyn, clywodd sŵn traed. Roedd rhywun yn cerdded yn fân ac yn fuan ar hyd y coridor.

'Betsan Morgan!' Miss Preis, yr athrawes, oedd yno ac roedd hi mewn tipyn o dymer.

'Codwch y munud yma. A thacluswch dipyn ar y stafell. Mae'r lle fel cwt mochyn!'

'Wel, dydw i ddim yn arglwyddes rŵan, mae'n amlwg,' meddai Betsan wrthi'i hun. 'Efallai mai breuddwydio'r cyfan wnes i wedi'r cwbl.'

PENNOD 4

Roedd sedd wag wrth ochr Catrin pan aeth Betsan i gael ei brecwast ac amneidiodd Siwan arni i fynd i eistedd yno. Ond aeth Betsan heibio iddyn nhw at fwrdd bach yn y gornel. Am unwaith doedd ganddi ddim awydd o gwbl ymuno yn y bwrlwm sgwrsio. Roedd ei phen yn llawn o gwestiynau ac roedd arni eisiau llonydd i feddwl.

'Mae'n rhaid mai breuddwydio wnes i,' meddai wrthi'i hun, 'ac eto mae'r cyfan mor glir. Edrych ar y darlun a rhwbio'r galon fechan ar y gadwyn—dyna'r cyfan wnes i ac yn sydyn rôn i mewn amser hollol wahanol ac yn berson hollol wahanol. Mi ro' i gynnig arni eto heno,' penderfynodd yn sydyn. 'Ar ôl i bawb gysgu, mi a' i at y darlun ac mi geisia i fynd yn ôl i'r gorffennol i fod yn Elisabeth Wyn eto.'

Cofiodd bod Mr. Lewis wedi addo dweud hanes yr arglwyddes wrth y dosbarth a phrysurodd i fwyta ei brecwast.

'Os oedd fy hen-hen-hen-nain yn arglwyddes mae'n rhaid fy mod innau'n arglwyddes hefyd,' meddyliodd wrth gario ei llestri budron at y cownter. 'Efallai mai ein teulu ni biau Plas yr Hydd!'

Roedd Catrin a Siwan a'r merched eraill yn brysur yn sgwrsio pan aeth Betsan i mewn i'r stafell ddosbarth. Gwenodd Catrin arni ond yna trodd yn ôl at ei ffrindiau heb ddweud dim. Ond doedd dim gwahaniaeth gan Betsan. Roedd hi'n edrych o'i chwmpas a'i chalon yn curo'n gyflym. Ie, hon oedd y stafell fwyta. Doedd y bwrdd ddim yno ond safai'r cwpwrdd mawr cerfiedig yn y gornel. Roedd y grât anferth yno o hyd hefyd ac, o graffu yn agos, gwelai bod marciau ar y silff ben tân lle'r oedd rhywbeth trwm wedi sefyll am flynyddoedd.

'Yr Hydd Aur—trysor y plas!' meddyliodd. 'Rydw i'n cofio'n berffaith glir.'

Sylweddololodd wedyn bod siâp ar y wal uwchben y grât—sgwâr lle'r oedd y papur wal yn dywyllach na'r gweddill fel pe bai rhywbeth wedi bod yn ei guddio rhag yr haul.

'Llun Mam!' meddyliodd Betsan. 'Nid fy mam i ond mam Elisabeth. O mae'n gymysglyd iawn bod yn ddau berson! Mae un peth yn sicr—nid breuddwydio ôn i. Fi oedd Elisabeth neithiwr ac rôn i yma, yn y stafell hon, yn bwyta efo 'Nhad.'

Cofiodd yn sydyn am yr hiraeth a deimlodd y noson cynt am ei mam a'i thad ei hun a'i bwriad i'w ffonio i ddod i'w nôl.

'Does gen i ddim awydd mynd adra rŵan,' meddyliodd. 'Mae arna i eisiau gwybod mwy am hanes Elisabeth, a phrun bynnag mae Catrin a Siwan yn gleniach efo fi erbyn hyn. A dweud y gwir, hyd yn oed pe bai Lowri yma, fedrwn i ddim rhannu fy nghyfrinach efo hi. Fyddai hi ddim yn fy nghoelio!'

Agorodd y drws yng nghornel y stafell a daeth Mr. Lewis i mewn.

'Heddiw,' meddai, 'mi hoffwn i siarad ychydig am y plas 'ma fel roedd o yn amser Elisabeth Wyn. Rŵan, yn y stafell hon roedd y teulu yn bwyta ond, wrth gwrs, doedden nhw ddim yn mynd at gownter i nôl eu bwyd fel rydych chi'n ei wneud. Beth oedd yn digwydd? Oes rhywun yn gwybod?'

'Roedd gweision yn dod â'r bwyd,' atebodd Betsan yn syth.

'Da iawn.' Gwenodd Mr. Lewis arni. 'Rydych chi wedi deffro y bore 'ma, Betsan Morgan. Fedrwch chi ddweud wrtha i drwy ba ddrws roedd y gweision yn dod? Oedden nhw'n dod drwy'r un drws â'r teulu?'

'Nac oedden.' Roedd Betsan yn berffaith siŵr o'i ffeithiau. 'Roedden nhw'n cario'r bwyd drwy'r drws yn y gornel lle daethoch chi i mewn. Wedyn, roedd Evans, y bwtler, yn sefyll wrth y cwpwrdd yn fan'na a'r gweision yn gweini ar y bobl. Ar ôl gorffen gwneud hynny, roedden nhw'n mynd i'r gegin er mwyn i'r teulu gael sgwrsio.'

Stopiodd yn sydyn. Roedd Mr. Lewis yn edrych yn od arni ac roedd hi'n clywed Catrin a Siwan yn pwffian chwerthin eto.

'Wel, ardderchog,' meddai'r athro. 'Mi allwn i daeru eich bod chi wedi gweld y cyfan Betsan. Ac rydych chi'n berffaith gywir. Rydych chi hyd yn oed yn gwybod enw'r bwtler oedd yma pan oedd Elisabeth Wyn yn ifanc. Da iawn chi. Mae'n amlwg eich bod chi wedi darllen llawer am Blas yr Hydd.'

Brathodd Betsan ei gwefusau. Byddai'n rhaid iddi fod yn ofalus neu byddai pobl yn dechrau holi. A gwyddai'n iawn na fyddai neb yn credu'r hanes am ei hymweliad â'r gorffennol. Roedd yn rhaid iddi ei gadw'n gyfrinach neu byddai pawb yn chwerthin am ei phen.

Trwy weddill y bore eisteddodd yn ddistaw yn gwrando ar Mr. Lewis yn disgrifio bywyd y plas ers talwm. Roedd hi'n gwybod mwy na'r athro, wrth gwrs, ond, er ei fod yn gwneud ambell gamgymeriad, ddywedodd Betsan yr un gair o'i phen. Roedd hi'n benderfynol o gadw'r gyfrinach. Llwydd-

odd i gadw'n ddistaw hefyd pan aeth y dosbarth am dro at yr afon yn y pnawn er bod ei chalon yn llamu pan welodd olion waliau cerrig ar lan y dŵr.

'Roedd adeilad yma ers talwm, mae'n amlwg,' meddai Mr. Lewis, 'ond does neb yn siŵr beth oedd o.'

'Rydw i'n gwybod,' meddyliodd Betsan. 'Tŷ bychan i Elisabeth chwarae ynddo oedd o.'

Ond feiddiai hi ddim dweud hynny. Roedd hi wedi clywed Catrin yn ei galw'n "swot" ar ôl y wers y bore 'ma a doedd arni ddim eisiau i hynny ddigwydd eto.

O'r diwedd roedd hi'n nos. Daeth Miss Preis o gwmpas i ddiffodd y golau ac, fel y noson cynt, fe gododd Catrin a Siwan yn syth i fynd drws nesaf. Y tro hwn, fe gafodd Betsan hanner cynnig ymuno â nhw ond roedd ganddi ei chynlluniau ei hun a chymerodd arni ei bod yn cysgu.

'Hogan fach dda ydi hi, yntê,'

meddai Catrin wrth Siwan wrth i'r ddwy fynd allan.

Roedd Betsan wedi penderfynu mynd at y darlun yn gynt heno.

'Mi ga i fwy o amser yn y gorffennol wedyn,' meddyliodd. 'Mwy o amser i fwynhau bod yn arglwyddes.'

Llusgodd y munudau heibio yn araf ac ar ôl awr fedrai Betsan ddim aros mwy. 'Mae'r athrawon yn siŵr o fod wedi noswylio erbyn hyn,' meddyliodd. 'A does dim gwahaniaeth am Catrin a Siwan. Fyddan nhw ddim yn poeni lle'r ydw i.'

Cododd Betsan ac ymbalfalodd ar hyd y coridor tywyll, heibio i ben y grisiau cul ac at y drws mawr, trwchus yn y pen draw. Agorodd y drws yn araf a safodd i wrando. Roedd y lle'n ddistaw fel y bedd. Camodd at y darlun a syllodd arno gan fyseddu ei chadwyn.

'Rhwbio'r galon wnes i neithiwr,' meddai wrthi'i hun ac aeth ati i wneud hynny. Oedd, roedd o'n gweithio eto heno. Dechreuodd y llun droi . . . a'r wal a'r nenfwd. Roedd popeth yn troi a throi a throi . . .

Roedd hi'n sefyll ar ben y grisiau mawr a haul canol-dydd yn llifo drwy'r ffenestr wydr-lliw. Roedd y tŷ yn effro ac er bod y cyntedd yn wag ac yn ddistaw gallai glywed murmur lleisiau a sŵn llestri'n taro'n erbyn ei gilydd yn y gegin. Gwyddai heb edrych ei bod yn gwisgo ffrog laes a gwyddai rywbeth arall hefyd. Roedd hi'n anhapus, yn anhapus iawn. Roedd rhywbeth yn bod. Cerddodd yn araf i lawr y grisiau a daeth gwas i agor y drws iddi fynd allan. Doedd dim blodau yn yr ardd o flaen y tŷ ac yma ac acw roedd pentyrrau o ddail yr hydref wedi eu sgubo'n daclus. Roedd hi'n oer hefyd er bod yr haul yn tywynnu. Sylweddolodd bod clogyn am ei hysgwyddau ac fe'i tynnodd yn dynnach amdani.

'Mae'r haf wedi dod i ben,' meddyliodd. 'Rhyfedd.'

Ond roedd y cof am Betsan yn prysur gilio a cherddodd Elisabeth Wyn yn araf a phenisel ar hyd y llwybr at yr afon.

PENNOD 5

O roedd hi'n teimlo'n ddigalon!

'Mae pethau mor wahanol ym Mhlas yr Hydd er pan ddaeth Harriet a'i mam yma i fyw,' meddyliodd. 'Mae 'Nhad wedi gwirioni efo'i wraig newydd a phrin y mae ganddo fo amser i siarad efo fi. Mae o wedi gwirioni ar Harriet hefyd ac yn meddwl ei bod hi'n gwmni da i mi. Yr hen gnawes iddi efo'i gwallt melyn a'i gwên ffals. Does gan 'Nhad ddim syniad sut un ydi hi mewn gwirionedd.'

Erbyn hyn roedd Elisabeth wedi cyrraedd y tŷ bychan ar lan yr afon. Safodd yn stond ar riniog y drws. Roedd Harriet yno, yn penlinio wrth y cwpwrdd agored. Roedd hi wedi tynnu pethau Elisabeth allan a'u gadael yn bentwr blêr ar y llawr ac roedd hi'n brysur yn gosod ei phethau ei hun yn eu lle. Camodd Elisabeth ymlaen.

'Fy nghwpwrdd i ydi hwnna, Harriet,' meddai mewn llais digon pendant er bod ei phenliniau'n crynu. 'Ac, a dweud y gwir, fi piau'r tŷ!'

'Wel, fy lle i ydi o rŵan,' atebodd y ferch benfelen heb oedi yn ei gwaith clirio. 'A'm cwpwrdd i ydi hwn hefyd. Mae'ch tad wedi dweud eich bod i rannu pob dim â fi. Pam nad ewch chi i'r gegin at eich ffrind, Leusa'r forwyn?' ychwanegodd gan droi a gwenu'n sbeitlyd. 'Fyddai'ch tad ddim yn hoffi clywed eich bod yn dal i'w chyfarfod yma. Mae o a Mam wedi gwahardd i chi fod yn ffrindiau efo hi, yn do? Efallai y dylwn i ddweud wrthyn nhw. Mae'n iawn iddyn nhw gael gwybod.'

Trodd Elisabeth a rhuthrodd i fyny'r llwybr at y plas. Pam roedd Harriet mor sbeitlyd a chas? Pam roedd raid iddi hi a'i mam ddod i'r plas o gwbl?

'Roedd 'Nhad a minnau'n iawn fel roedden ni,' meddyliodd Elisabeth gan geisio ei gorau i gadw'r dagrau yn ôl. 'Ond'rŵan mae o'n mynd yn fwy dieithr bob dydd. Oni bai am Leusa mi fyddwn i wedi drysu yn ystod y misoedd diwetha 'ma.'

Roedd Harriet yn casáu Leusa â chas perffaith. Leusa oedd wedi ei darganfod yn llofft Elisabeth yn mynd trwy'r cypyrddau dillad ac wedi rhedeg i ddweud wrth ei ffrind. Cyrhaeddodd Elisabeth mewn pryd i weld Harriet yn cario llond ei breichiau o ffrogiau i'w llofft ei hun.

'Mae arna i angen y rhain,' meddai'r ferch benfelen yn swta. Ond, y tro hwnnw, am unwaith, cafodd Elisabeth gefnogaeth ei thad. Gorchmynnodd ef i Harriet ddychwelyd y ffrogiau gan addo ar yr un pryd y byddai'n prynu llond gwlad o ddillad newydd iddi hi.

'Wneith Harriet fyth faddau i Leusa am hynna,' meddyliodd Elisabeth wrth ddringo'r grisiau mawr, 'nac am helynt y ceffyl 'chwaith.'

Er gwaethaf ei digalondid ni allai lai na chwerthin wrth gofio'r helbul hwnnw. Clywodd Leusa Harriet a'i mam yn cynllwynio i fenthyg y ceffyl gorau o'r stablau gan fod Harriet ar dân eisiau ei farchogaeth. Dywedodd Leusa wrth Elisabeth a pherswadiodd hithau ei thad i fynd am dro efo hi i gyfeiriad y stablau. Pwy ddaeth i'w cyfarfod ar gefn y ceffyl mawr ond Harriet! Sôn am helynt! Roedd tad Elisabeth wedi gwylltio'n gacwn a gorchmynnodd i Harriet fynd i'w stafell ac aros yno am ddiwrnod cyfan. Dyna'r unig dro erioed i Elisabeth ei weld yn flin gyda'r ferch benfelen.

'Na, wneith Harriet fyth faddau i mi nac i Leusa,' meddai wrthi'i hun wrth gyrraedd ei stafell. Croesodd at y grât a thynnodd y rhaffyn i ganu'r gloch.

'Gofynnwch i Leusa ddod â the imi,' meddai wrth y gwas a ddaeth at y drws. Gwyddai ei bod yn berffaith ddiogel am y tro gan fod Isabel a'i thad wedi mynd i ymweld â ffrindiau, a

Harriet, wrth gwrs, yn brysur yn y tŷ bychan ar lan yr afon.

Roedd hi'n braf cael dweud ei chŵyn wrth Leusa ac, wrth gwrs, roedd y forwyn yn llawn cydymdeimlad.

'Pwy mae hi'n feddwl ydi hi?' meddai. 'Victoria, brenhines Lloegr?' A rhoddodd orchudd y tebot am ei phen a cherdded yn ôl ac ymlaen â'i thrwyn yn yr awyr yn union fel Harriet nes roedd Elisabeth yn rowlio chwerthin. Fedrai neb fod yn ddigalon yn hir yng nghwmni Leusa.

Yna tynnodd y forwyn y gorchudd tebot ac eistedd i lawr a'i hwyneb yn ddifrifol am unwaith. 'Mi glywais i Harriet a'i mam yn siarad y bore 'ma pan ôn i'n glanhau'r grisiau. Maen nhw'n cynllwynio i fynd â rhai o fodrwyau a gemau dy fam i Lundain i'w gwerthu. Mae'r gemau yn perthyn i'r teulu ers blynyddoedd, a phrun bynnag, ti ddylai eu cael nhw—nid Isabel a Harriet.'

Roedd Elisabeth wedi dychryn. Roedd hyn yn waeth o lawer na chymryd ffrogiau neu fenthyg y ceffyl.

'Mi fydd yn rhaid imi ddweud wrth 'Nhad,' meddai, 'ond fydd bywyd ddim yn werth ei fyw yma wedyn. Mi fydd y ddwy am fy ngwaed i.'

'Ac am fy ngwaed inna,' cytunodd Leusa. 'Ond mae'n rhaid iti ddweud. Maen nhw mor farus. Duw a ŵyr beth fyddan nhw'n ei ffansïo nesa—yr Hydd Aur 'falla.'

'Feiddien nhw ddim cyffwrdd trysor y plas,' atebodd Elisabeth wrth godi at y drws. Roedd hi wedi clywed sŵn yn y cyntedd—sŵn Isabel a'i thad yn dychwelyd.

'Dos di yn ôl i'r gegin. Mi a' i i ddweud wrth 'Nhad y munud yma.'

Aeth i ben y grisiau mawr i gyfarfod ei thad. Roedd hi'n crynu fel deilen ond gwyddai bod yn rhaid iddi ddweud. Cymerodd anadl ddofn. O! roedd hi'n teimlo'n rhyfedd. Roedd pobman yn troi o'i chwmpas a'r düwch mawr yn dod drosti unwaith eto. . .

'Betsan Morgan! Beth rydych chi'n ei wneud allan o'ch gwely yr amser yma o'r nos?'

Cydiodd Betsan yn dynn yn y canllaw. Roedd rhywbeth o'i le y tro hwn. Roedd hi wedi dod yn ôl i'r presennol ond doedd hi ddim yn ei gwely. Roedd hi'n sefyll ar ben y grisiau mawr ac roedd Miss Preis yno hefyd yn edrych yn ddoniol iawn yn ei choban.

'Yn ôl i'ch gwely ar unwaith! Mi gewch chi glywed mwy am hyn yn y bore.'

Cerddodd Betsan ar hyd y coridor cul a Miss Preis yn dwrdio y tu ôl iddi. Roedd Catrin a Siwan yn eu gwelyau a'u llygaid wedi'u cau'n dynn ond cyn gynted ag y caeodd yr athrawes y drws dechreuodd y ddwy holi Betsan.

‘Gest ti dy ddal?’ holodd Catrin. ‘Roeddet ti’n anlwcus. Dim ond newydd ddod yn ôl roedden ni.’

‘Ie,’ ategodd Siwan. ‘Ac oni bai inni ei chlywed hi yn dweud y drefn wrthot ti, mi fydden ninnau wedi cael ein dal hefyd. Ble buost ti?’

‘O dim ond am dro,’ meddai Betsan gan dynnu’r blancedi dros ei phen. Roedd arni eisiau llonydd i feddwl. Roedd yr holl beth mor rhyfedd. Pan

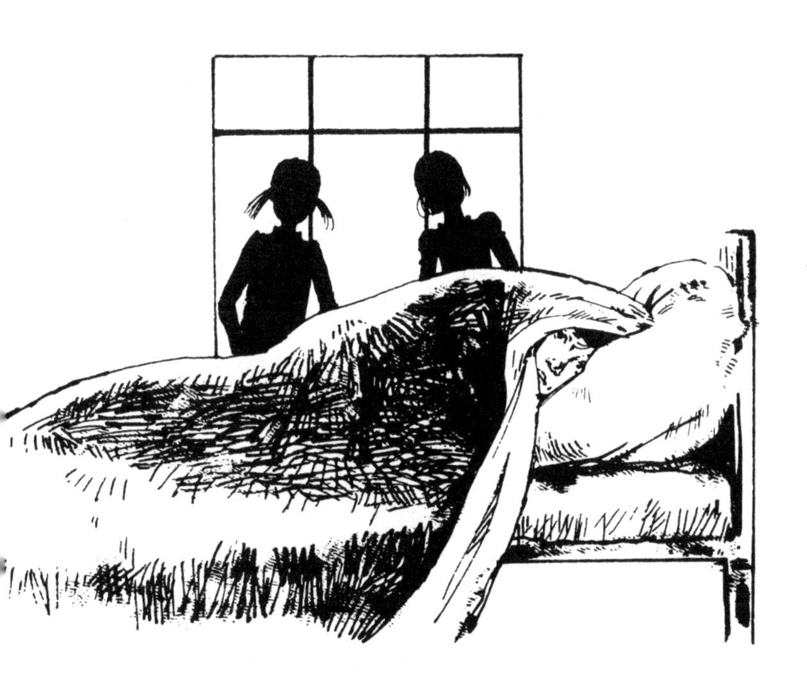

oedd hi'n Elisabeth doedd hi'n cofio dim am Betsan, dim ond rhyw gysgod o lun yn dod i'w meddwl weithiau ac yna'n diflannu. Ond rŵan, a hithau yn hi ei hun unwaith eto, roedd hi'n cofio'n glir am Elisabeth ac am bopeth a ddigwyddodd iddi hi. Ac er ei bod wedi llwyddo i fynd yn ôl i'r gorffennol ddwy noson yn olynol, roedd hi'n amlwg bod misoedd wedi mynd heibio ym mywyd Elisabeth.

'Fy hen-hen-hen-nain,' meddyliodd. 'Doedd ei bywyd hithau ddim yn fêl i gyd. Rydw i'n meddwl bod yn well gen i fod yn Betsan Morgan wedi'r cwbl.'

Ac yna cofiodd eiriau Miss Preis, 'Mi gewch chi glywed mwy am hyn yn y bore.'

Ochneidiodd wrth geisio setlo i gysgu. Doedd bywyd Betsan Morgan ddim yn fêl i gyd 'chwaith!

PENNOD 6

Roedd Betsan yn nerfus iawn pan aeth i mewn i'r stafell ddosbarth ar ôl brecwast fore trannoeth. Roedd hi'n siŵr y byddai Miss Preis wedi dweud hanes y noson cynt wrth Mr. Lewis ac y byddai yntau'n ei chosbi. Eisteddodd wrth y ffenest a phwysodd Siwan ymlaen i siarad efo hi.

'Paid â phoeni,' meddai. 'Fydd o ddim yn flin iawn.'

Ac, a dweud y gwir, roedd Mr. Lewis yn ddigon clên.

'Crwydro'r tŷ ym mherfeddion nos, ie?' meddai'r prifathro. 'Rydych chi'n gwybod y rheolau yn iawn. Mae'n well i chi aros i mewn amser chwarae a thacluso tipyn ar yr hen gwpwrdd 'na.' Pwyntiodd at y cwpwrdd cerfiedig yng nghornel y stafell ac yna ychwanegodd, 'Mi fyddwn ni'n eich gwylio chi o hyn ymlaen ac os digwydd yr un peth eto mi fyddwch chi'n mynd adre ar eich union.'

Roedd Betsan yn benderfynol o beidio â gwneud dim arall i gythruddo'r athrawon. Doedd arni ddim eisiau cael ei gyrru adref a cholli'r cyfle i fynd yn ôl i'r gorffennol eto. Gwrandawodd yn eiddgar ar Mr. Lewis.

'Roedd Elisabeth Wyn yn berson diddorol iawn,' cychwynnodd yr athro. 'Hi oedd yr olaf o deulu'r Wyniaid. Ar ôl ei hamser hi daeth teulu arall i fyw i'r plas 'ma ac wedyn, flynyddoedd yn ôl bellach, mi brynodd y Cyngor Sir y lle er mwyn cynnal cyrsiau i blant. Chi a finna a phobl y sir i gyd biau'r plas rŵan.'

Yr olaf o'r Wyniaid! Doedd Betsan ddim yn deall hyn.

'Mae'n rhaid bod Elisabeth wedi priodi a chael plentyn,' meddyliodd, 'neu fyddai hi ddim yn hen-hen-hennain i mi. Efallai nad ydi Mr. Lewis yn siŵr o'i ffeithiau.'

Yn sicr, roedd yr athro yn siarad lol rŵan. 'Pan oedd Elisabeth yn bymtheg oed,' meddai, 'mi briododd ei thad â'r Arglwyddes Isabel o Fôn ac mi ddaeth hi a'i merch yma i fyw. Roedd Elisabeth yn ffrindiau mawr â'i chwaer newydd. Harriet oedd ei henw hi ac roedd hi'n gwmni da i Elisabeth.'

Roedd Betsan bron â ffrwydro. Roedd arni eisiau codi ar ei thraed a dweud y gwir wrth Mr. Lewis ond feiddiai hi ddim.

'Mae'n rhaid imi gadw'n ddistaw, neu mi fydd pawb yn gwybod fy nghyfrinach i,' meddai wrthi'i hun.

Am hanner awr bu'n rhaid iddi wrando ar yr athro yn malu awyr am Elisabeth a Harriet yn mynd am dro efo'i gilydd, yn mynd i bartïon efo'i gilydd ac yn rhannu cyfrinachau ei gilydd ond ddywedodd hi'r un gair o'i phen. Cyn hir daeth amser chwarae ac fe dyrrodd y plant i gyd allan i'r haul.

'Arhoswch chi yma Betsan a thacluswch y cwpwrdd 'na,' meddai Mr. Lewis wrth fynd am ei goffi.

Elisabeth a Harriet yn ffrindiau mawr! Am lol! Roedd Betsan wedi arfer meddwl fod gwersi hanes yn wir bob gair ond roedd hi'n amlwg nad oedd neb yn gwybod y gwir am Elisabeth Wyn.

'Dim ond fi sy'n gwybod,' meddyliodd Betsan yn syn. 'Dim ond fi sy'n gwybod bellach bod fy hen-hen-hen-nain wedi cael amser digalon iawn yn y plas 'ma.'

Cydiodd yn y gadwyn am ei gwddw a rhwbiodd y galon fechan yn feddylgar. Edrychodd drwy'r ffenest.

Roedd rhywbeth rhyfedd wedi digwydd—y coed wedi colli eu dail a'r ardd yn edrych yn daclus ac yn drefnus. Roedd hi'n ddistaw hefyd. Clustfeiniodd Betsan ond ni allai glywed sŵn y plant yn chwarae. Daeth garddwr i'r golwg yn y pellter, garddwr yn gwisgo dillad hen-ffasiwn. 'Rhyfedd!' meddyliodd Betsan. 'Rydw i wedi mynd yn ôl i'r gorffennol eto ond nid Elisabeth ydw i y tro hwn. Rydw i'n gwisgo fy nillad fy hun, dillad Betsan Morgan, ac rydw i'n cofio'n glir am y cwrs, am Mr. Lewis a Miss Preis ac am Catrin a Siwan. Mi rwbiais i'r galon fechan ar y gadwyn ond mae'n rhaid mai dim ond yn y nos mae hynny'n gweithio'n iawn. Rhyw hanner gweithio wnaeth o y tro yma.'

Sylweddolodd yn sydyn bod rhywun yn eistedd ar y fainc o dan y ffenest—gwraig a merch—Harriet a'i mam! Roedd pennau'r ddwy yn agos at ei gilydd ac roedden nhw'n amlwg yn trafod rhywbeth pwysig. Aeth Betsan

yn nes at y ffenest i gael clywed y sgwrs.

'Leusa ddywedodd am y modrwyau a'r gemau, mae'n rhaid.' Harriet oedd yn siarad ac roedd hi'n swnio'n flin iawn. 'Hi ddifethodd ein cynlluniau ni eto. Mae'n rhaid inni gael gwared ohoni hi.'

'Rhaid,' cytunodd Isabel, 'ond fydd hynny ddim yn hawdd. Mae Elisabeth yn meddwl y byd ohoni hi ac wneith ei thad ddim taflu'r forwyn ar y clwt heb reswm.'

'Mi rown ni reswm iddo fo.' Roedd tinc maleisus yn llais Harriet. 'Mi gyhuddwn ni hi o ddwyn yr Hydd Aur, trysor y plas. Fydd ganddo fo ddim dewis wedyn ond ei hanfon hi at yr ustusiaid. Mi gaiff ei chosbi! Efallai y caiff hi ei chrogi! Mi a' i ar fy llw fy mod i wedi ei gweld hi'n cario'r Hydd o'r plas a'i roi i rywun.'

'Cynllun da,' cytunodd Isabel. 'Ond bydd rhaid inni guddio'r Hydd Aur yn rhywle.'

'Mi wn i am le da,' meddai Harriet. 'Mae 'na rosyn wedi ei gerfio ar un o'r paneli pren wrth y grât yn fy llofft i, ac os ydych chi'n troi'r rhosyn mae cwpwrdd yn agor—cwpwrdd cudd. Mi ddois o hyd iddo ar ddamwain y diwrnod o'r blaen. Rydw i'n siŵr nad oes neb arall yn gwybod amdano fo.'

Roedd Betsan wedi cynddeiriogi. Am gynllun ffiaidd! Roedd yn rhaid rhwystro Isabel a Harriet rywsut. Rhwbiodd ei llygaid . . .

Roedd dail yn dod yn ôl ar y coed ac roedd lleisiau plant i'w clywed yn nesu at y stafell ddosbarth.

'Rydw i yn ôl yn y presennol,' sylweddolodd Betsan yn siomedig. 'Mae'n rhaid imi drio mynd i'r gorffennol eto i rybuddio Elisabeth a Leusa. Ond mae'n well imi aros tan heno. Mae'n amlwg nad ydi'r peth ddim yn gweithio'n iawn yng ngolau dydd.'

Erbyn hyn roedd pawb wedi dod yn ôl i'r stafell ddosbarth a chofiodd Betsan nad oedd hi wedi tacluso'r cwpwrdd. Trwy lwc, ni sylwodd Mr. Lewis ac aeth ymlaen â'i stori'n syth. Eisteddodd Betsan yn ôl i wrando. Roedd o'n siarad am Elisabeth eto.

'Yn ei hamser hi,' meddai, 'y diflannodd trysor Plas yr Hydd. Roedd yr Hydd Aur gwerthfawr yn dod â lwc i'r teulu, medden nhw, ac roedden nhw'n ei warchód yn ofalus. Ond pan oedd Elisabeth yn ferch ifanc, mi ddiflannodd y trysor. Cafodd ei ddwyn gan Leusa Williams, un o'r morynion. Ddwy flynedd yn ddiweddarach bu farw tad Elisabeth ac yn fuan wedi hynny lladdwyd ei wraig, Isabel, a'i merch, Harriet, mewn damwain efo coets a cheffyl. Bu Elisabeth yn byw yma ar ei phen ei hun nes roedd hi'n hen wraig. Roedd ganddi obsesiwn am y trysor a threuliai'r dyddiau yn chwilio amdano. Roedd pawb yn meddwl ei bod hi'n od iawn a doedd neb yn dod ar ei chyfyl.

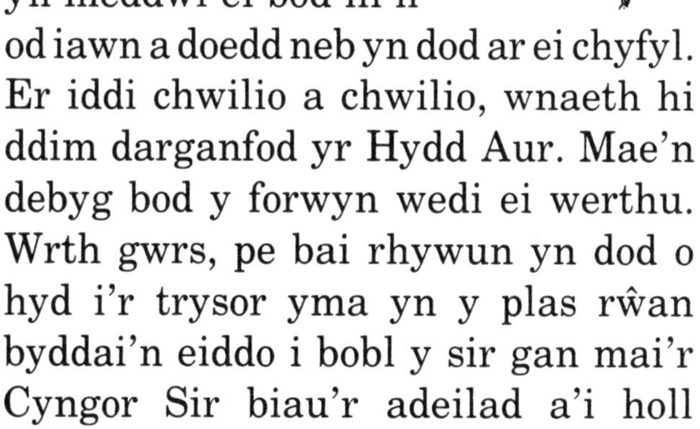

Er iddi chwilio a chwilio, wnaeth hi ddim darganfod yr Hydd Aur. Mae'n debyg bod y forwyn wedi ei werthu. Wrth gwrs, pe bai rhywun yn dod o hyd i'r trysor yma yn y plas rŵan byddai'n eiddo i bobl y sir gan mai'r Cyngor Sir biau'r adeilad a'i holl gynnwys bellach. Pan fu Elisabeth farw daeth teulu'r Wyniaid i ben.'

'Ond . . .' Fedrai Betsan ddim dal rhagor. Cododd ei llaw. 'Wnaeth Elisabeth ddim priodi? Chafodd hi ddim plant?' gofynnodd yn syn.

'Naddo,' atebodd Mr. Lewis. 'Hi oedd yr olaf o'r teulu.'

Cydiodd Betsan yn ei chadwyn. E.W.! Roedd hi mor siŵr mai Elisabeth Wyn oedd ei hen-hen-hen-nain ond, yn ôl Mr. Lewis, doedd hynny ddim yn bosibl. Ac eto roedd hi wedi gweld y gadwyn, ei chadwyn hi, am wddw'r ferch yn y llun. Roedd hi wedi teimlo'r gadwyn am ei gwddw pan oedd hi wedi mynd yn ôl i'r gorffennol i fod yn Elisabeth. Os nad oedd yr arglwyddes yn hen-hen-hen-nain iddi hi, sut oedd esbonio'r gadwyn? Rhwbiodd y galon fechan ac yna fe'i gollyngodd yn sydyn. Doedd arni hi ddim eisiau mynd yn ôl i'r gorffennol yma yn y dosbarth o flaen Mr. Lewis a phawb.

'Heno,' addawodd iddi ei hun, 'cyn gynted ag y bydd pawb yn cysgu, mi a' i yn ôl. Mae'n rhaid imi rybuddio Elisabeth a Leusa am gynllun Harriet ac mae'n rhaid imi gael gwybod y gwir am fy hen-hen-hen-nain.'

PENNOD 7

Gorweddai Betsan yn llonydd yn ei gwely yn y stafell fechan. Roedd y lle'n hollol ddistaw a Catrin a Siwan yn cysgu'n sownd ers meitin. Doedden nhw ddim wedi mynd at Eirlys a'r criw drws nesaf heno. Feiddien nhw ddim ar ôl i Miss Preis rybuddio'r merched i gyd cyn iddyn nhw noswylio.

'Mi fydda i'n dod o gwmpas yn aml heno.' Dyna a ddywedodd hi. 'A gwae neb a wela i allan o'i stafell. Mi fydda i'n cadw golwg arbennig arnoch chi a'ch ffrindiau,' ychwanegodd gan droi at Betsan druan. Roedd hi'n teimlo'n annifyr iawn. Arni hi roedd y bai am hyn. Ond doedd Catrin a Siwan, chwarae teg iddyn nhw, ddim yn dal dig o gwbl. A dweud y gwir, roedd y ddwy wedi bod yn glên iawn wrthi hi drwy'r dydd, er pan fu'n rhaid iddi aros i mewn amser chwarae. Roedden nhw wedi cadw lle iddi wrth y bwrdd cinio ac wedi ei thynnu i mewn i'r ddawns yn y disgo.

Daliodd Betsan ei gwynt a gwrandawodd yn astud am funud. Oedd Miss Preis wedi noswylio erbyn hyn, tybed?

'Mi fentra i rŵan,' meddai wrthi ei hun a chododd yn ddistaw o'i gwely. Sleifiodd ar flaenau ei thraed allan o'r stafell, ar hyd y coridor cul a heibio i ben y grisiau bach.

'Ar ôl mynd rownd y tro yn y coridor,' meddyliodd, 'mi fydd hi'n dywyll ac mi fydda i'n ddiogel wedyn.'

Ond pan ddaeth at y tro, gwelodd bod y drws mawr trwm a rannai ran y morynion oddi wrth ran arall y tŷ yn llydan agored. Ac roedd Mr. Lewis a Miss Preis yn sefyll yn siarad ar ben y grisiau mawr! Sgrialodd Betsan mor ddistaw ag y medrai yn ôl i'w stafell. Neidiodd i'w gwely a thynnodd y blancedi'n dynn amdani.

'Mae'r athrawon yn cadw gwyliadwriaeth heno, mae'n rhaid,' meddyliodd. 'Efallai y byddan nhw yno am oriau. Wel, does dim ond un peth i'w wneud felly.'

Cydiodd yn ei chadwyn a dechreuodd rwbio'r galon aur yn araf, araf. Tybed a fyddai'n gweithio a hithau yn ei gwely yn rhan y morynion o'r tŷ? Bu'n rhaid iddi fyseddu'r gadwyn am fwy o amser nag arfer y tro hwn ond, o'r diwedd, dechreuodd y lle droi a suddodd Betsan i'r tywyllwch mawr . . .

Roedd hi yn y stafell fechan o hyd, yn eistedd ar wely cul wrth y ffenestr. Teimlai'n ofnadwy. Roedd hi wedi crio cymaint nes bod ei llygaid yn brifo. Roedd rhywun arall yn y stafell hefyd—rhywun yn clymu cadwyn aur am ei gwddw ac yn siarad efo hi'n ddistaw.

'Leusa,' meddai'r llais. 'Leusa, paid â chrio. Ti biau'r gadwyn rŵan. Mae'n rhaid iti ei gwisgo hi am byth i gofio amdana i ac am ein cyfeillgarwch ni. Mae llythrennau'n henwau ni'n dwy yr un fath â'i gilydd. Elisabeth wyt titha hefyd—dyna'r ffurf iawn ar Leusa, yntê? Elisabeth Williams wyt ti ac Elisabeth Wyn ydw inna. O

Leusa, rydyn ni wedi bod yn ffrindiau, yn do?'

Brathodd Leusa ei gwefusau a cheisiodd wenu—ond fedrai hi ddim. Nodiodd ei phen.

'Leusa, gwranda,' aeth Elisabeth Wyn yn ei blaen. 'Mae'n rhaid iti ddianc. Mae Isabel a Harriet wedi perswadio 'Nhad mai ti sydd wedi dwyn yr Hydd Aur. Mae Harriet yn dweud ei bod wedi dy wylio drwy'r ffenest ac wedi dy weld yn cario'r trysor at yr afon a'i roi i ryw ddyn oedd yn cuddio yn y llwyni. Mae 'Nhad yn ei chredu hi. Dyna pam mae o wedi dy gloi di yn dy stafell ac yn y bore mi fydd yn dy anfon at yr ustusiaid. O Leusa, mi gei di dy gosbi'n ofnadwy os na wnei di ddianc. Leusa, wyt ti'n gwrando?'

Nodiodd Leusa ei phen eto. 'Mae hi ar ben arna i,' meddyliodd.

Ond roedd gan Elisabeth Wyn gynllun.

'Rydw i wedi cymryd y 'goriadau,' meddai. 'Dyna sut y medrais i agor drws dy stafell di i ddod yma. Mae pawb yn cysgu rŵan ac mi fedrwn ni sleifio i lawr at y drws mawr. Mi agora i hwnnw ac wedyn mi awn ni i'r stablau ac mi gei di fy ngheffyl i. Erbyn y bore, mi fyddi di ymhell i ffwrdd ac mi fydda inna wedi rhoi'r 'goriadau yn ôl yn eu lle.'

'Ond i ble'r a' i? Lle wna i guddio? Maen nhw'n siŵr o ddod ar fy ôl i.'

'Mae'n rhaid iti fynd mor bell ag y medri di heno,' atebodd Elisabeth. 'Wedyn, yn y bore, mae'n rhaid iti adael y ceffyl a cherdded am filltiroedd ar filltiroedd. Cerdda am ddyddiau, os medri di. Rydw i wedi dod â bwyd iti fynd efo ti. Pan gyrhaeddi di rywle sy'n ddigon pell oddi yma—Sir Feirionnydd efallai—bydd yn rhaid iti gael gwaith ar fferm. Tyrd rŵan, does 'na ddim amser i'w wastraffu.'

Cerddodd y ddwy ar hyd y coridor cul, heibio i ben y grisiau bach a rownd y tro yn y coridor. Agorodd Elisabeth y drws trwm yn y pen draw a llithrodd y ddwy trwyddo gan sefyll am funud ar ben y grisiau mawr i wrando. Roedd y plas yn berffaith ddistaw.

'Bydd yn ofalus,' sibrydodd Elisabeth gan amneidio i gyfeiriad un o'r drysau ar ben y grisiau—y drws agosaf at ran y morynion. 'Honna ydi stafell Harriet, cofia. Mi fyddai hi wrth ei bodd yn ein dal ni!'

Llithrodd y ddwy fel cysgodion i lawr y grisiau ac ar draws y cyntedd at y drws mawr. Gosododd Elisabeth y 'goriad yn y clo a'i droi ond bu'n rhaid iddi nôl cadair er mwyn sefyll arni i gyrraedd y bolltau trwm oedd ar draws y drws. Helpodd Leusa hi i lusgo'r gadair ar draws llawr cerrig y cyntedd a fferrodd y ddwy wrth glywed y sŵn crafu. Ond doedd neb wedi deffro, ac ar ôl sefyll a gwrando am funud neu ddau aethant ymlaen â'u gwaith. Cyn pen dim roedd y drws mawr wedi ei agor a'r ddwy wedi sleifio drwyddo ac allan o'r plas. Fuon nhw fawr o dro wedyn yn mynd i'r stablau nac yn cyfrwyo ceffyl Elisabeth. Roedd ar Leusa ofn am ei bywyd iddo weryru, ond siaradodd ei feistres yn dawel a safodd y ceffyl yn ufudd a llonydd. Wedyn, fe adawodd iddynt ei arwain yn ddistaw at giât y plas. O'r diwedd, roedd Leusa ar ei gefn ac yn barod i ffoi. Roedd hi'n teimlo'n nerfus iawn.

'Fues i erioed yn marchogaeth ceffyl fel hwn o'r blaen,' meddyliodd. 'Mi fydd yn rhaid imi ddal yn dynn a gobeithio'r gorau.'

Plygodd i lawr i ffarwelio ag Elisabeth. 'Mi wisga i'r gadwyn am byth,' meddai, 'ac mi feddylia i amdanat ti yn aml.'

'Wna inna fyth dy anghofio di,' sibrydodd yr arglwyddes. 'Ac mi chwilia i ym mhobman am y trysor er mwyn profi bod Harriet yn dweud celwydd ac er mwyn adfer dy enw da di. Mae'n rhaid ei bod hi wedi ei guddio fo yn y

plas neu yn y gerddi yn rhywle. Ffwrdd â thi rŵan, Leusa, a chymer ofal.'

Trawodd Elisabeth gefn y ceffyl â'i llaw a saethodd yntau ymlaen. Bu bron i Leusa ddisgyn ond llwyddodd i ddal ei gafael yn dynn. Teimlai'r gwynt yn ei hwyneb a gwelai gysgodion coed a llwyni'n rhuthro heibio ar bob ochr. Roedd ei phen yn teimlo'n rhyfedd. Roedd hi'n chwys oer drosti ac roedd pobman a phopeth yn troi a throi a throi . . .

PENNOD 8

Agorodd Betsan ei llygaid. Roedd hi yn ôl yn ei gwely ac roedd golau cynnar y wawr yn dechrau llenwi'r stafell. Cododd ar ei heistedd. Yn y llwyd-olau gallai weld bod Catrin a Siwan yn dal i gysgu'n drwm. Edrychodd o'i chwmpas. Ie, hon oedd stafell Leusa. Roedd y dodrefn yn wahanol, wrth gwrs—yn llawer mwy deniadol na rhai trwm, hen-ffasiwn Leusa—ond roedd siâp y stafell yr un fath yn union.

'Mae'r drws a'r ffenest yn yr un lle,' meddyliodd Betsan. 'Ie, fan'ma rôn i, ond rhyfedd imi fynd yn ôl i'r gorffennol fel Leusa y tro hwn, ac nid fel Elisabeth!'

Cofiodd yn sydyn am y gadwyn. Rhoddodd ei llaw dan ei gwisg nos i'w theimlo a chofiodd i Elisabeth ei rhoi i'w morwyn am eu bod nhw'n gymaint o ffrindiau.

'Wrth gwrs!' sylweddolodd Betsan. 'Y gadwyn ydi'r allwedd i'r cyfan! Y ddau dro cynta yr es i yn ôl i'r gorffennol, Elisabeth Wyn oedd yn gwisgo'r gadwyn—felly, Elisabeth oeddwn i. Am wddw Leusa roedd y gadwyn neithiwr, a dyna pam rôn i'n Leusa! A rŵan mae'r gadwyn wedi mynd o'r plas. Mae hi wedi mynd efo Leusa i Sir Feirionnydd neu rywle. Mae'n siŵr bod Elisabeth wedi trio cysylltu â Leusa ar ôl i'w thad farw ac ar ôl i Isabel a Harriet gael eu lladd; ond ddaeth hi ddim o hyd iddi, mae'n rhaid. Roedd Sir Feirionnydd yn bell iawn bryd hynny, wrth gwrs, a go brin y meiddiai Leusa ddod yn ôl i'r ardal yma—roedd pawb yma'n meddwl ei bod hi'n lleidr. Druan o Elisabeth! Welodd hi mo'i ffrind na'i chadwyn ar ôl y noson honno.'

Roedd Betsan bron â chrio wrth feddwl am y peth ond yna, yn sydyn, aeth yn chwys oer drosti. Eisteddodd i fyny'n syth a'i chalon yn curo'n gyflym. Roedd hi newydd sylweddoli beth roedd hyn i gyd yn ei olygu.

'Leusa oedd piau'r gadwyn ar ôl y noson honno,' meddyliodd. 'Mae'n rhaid, felly, mai Leusa oedd fy hen-hen-hen-nain i. Elisabeth oedd ei henw hithau hefyd, ond bod pawb yn ei galw hi'n Leusa.'

Gorweddodd yn ôl. A dweud y gwir, roedd hi'n teimlo braidd yn siomedig. Roedd hi wedi meddwl yn siŵr ei bod hi'n perthyn i deulu'r plas.

'Ond mi fedra i fod yn falch iawn os ydw i'n perthyn i Leusa,' meddai wrthi'i hun. 'Roedd hi'n dipyn o gymeriad ac yn ffrind da i Elisabeth. Ysgwn i beth ddigwyddodd iddi hi? Tybed a fedra i fynd yn ôl i'r gorffennol unwaith eto i weld a lwyddodd Leusa i ddianc?'

Cydiodd yn y galon fechan ar y gadwyn a'i rhwbio'n araf. Caeodd ei llygaid a gorweddodd yn berffaith lonydd. Ond ddigwyddodd dim byd o gwbl. Pan agorodd ei llygaid eto roedd hi yn y gwely o hyd, ac roedd Catrin a Siwan yn dal i gysgu yr ochr arall i'r stafell.

'Mae hi'n olau dydd,' meddyliodd Betsan. 'A phrun bynnag, mae Leusa a'r gadwyn wedi gadael y plas. Cha i fyth fynd yn ôl i'r gorffennol eto.'

Roedd hi'n teimlo'n chwithig iawn. Bu profiadau'r dyddiau diwethaf yn rhai rhyfedd a dieithr, ond roedd hi wedi eu mwynhau ac wedi dysgu llawer—wedi dysgu nad ydi gwersi hanes ddim yn wir bob amser ac wedi dysgu mwy nag a wyddai neb o'r blaen am stori Elisabeth a Leusa.

'Stori drist ydi hi hefyd,' synfyfyriodd Betsan. 'Leusa druan yn byw dan gysgod ar hyd ei hoes gan fod pawb yn yr ardal yn meddwl ei bod hi'n lleidr. A chafodd Elisabeth ddim bywyd hapus 'chwaith. Bu'n chwilio am y trysor nes roedd hi'n hen wraig a phawb yn meddwl ei bod hi wedi drysu. Ond ddaeth hi ddim o hyd iddo fo . . .

'Wrth gwrs, rydw *i*'n gwybod ble mae'r trysor,' meddyliodd a'i chalon yn llamu. 'Mi glywais i Harriet a'i mam yn trafod y panel yn llofft Harriet, a'r cwpwrdd cudd y tu ôl iddo fo. *"Troi rhosyn wedi ei gerfio ar y panel wrth y grât."* Dyna a ddywedodd Harriet. Rydw i'n cofio hynny'n iawn ac rydw i'n gwybod pa un oedd ei llofft hi hefyd —y llofft agosa at y drws sy'n arwain i goridor y morynion.'

Edrychodd ar ei wats. Roedd hi'n chwech o'r gloch.

'Fydd neb yn codi am awr arall o leiaf,' meddyliodd. 'Mae gen i amser i fynd i chwilio am y trysor.'

Cododd a cherddodd yn ddistaw bach ar hyd y coridor cul, tywyll. Ymbalfalodd am y drws trwm a'i agor yn ddistaw. Yr ochr arall i'r drws roedd hi'n olau braf a'r ffenestr wydr-lliw, y grisiau mawr a'r darlun ar y wal i'w gweld yn glir. Safodd Betsan am funud o flaen y llun a syllu arno. Craffodd yn agos. Roedd hi'n siŵr bod merch arall yn sefyll yn y cysgodion y tu ôl i'r arglwyddes a'i dillad duon yn gwneud iddi edrych fel cysgod ei hun. Leusa! Plygodd Betsan yn nes at y llun.

'Peidiwch â phoeni,' sibrydodd. 'Mi ddo i o hyd i'r trysor er mwyn gorffen dy waith di Elisabeth ac adfer dy enw da ditha Leusa.'

Ar flaenau'i thraed cerddodd at y drws agosaf at goridor y morynion—drws stafell Harriet. Cydiodd yn y dwrn a'i droi'n araf a gofalus. Na, doedd y drws ddim wedi ei gloi. Gan gymryd anadl ddofn, gwthiodd Betsan y drws yn agored ac edrychodd i mewn i'r stafell. Yn union gyferbyn â hi roedd hen grât fawr ac wrth ochr y grât roedd paneli pren wedi eu cerfio'n hardd.

'Rhosyn, mae'n rhaid imi chwilio am rosyn,' meddai Betsan wrthi'i hun a chamodd ar draws y carped i gyfeiriad y grât. Y munud nesaf fferrodd a safodd fel delw, yn hollol lonydd.

Roedd rhywun yn y stafell! Roedd rhywun y tu ôl iddi yn anadlu yn drwm ac yn wastad! Trodd yn araf ac agorodd ei llygaid yn fawr mewn braw. Roedd gwely y tu ôl i'r drws ac yn y gwely yn cysgu'n braf roedd Miss Preis!

Mewn chwinciad roedd Betsan wedi camu allan i'r coridor ac wedi cau'r drws yn ddistaw y tu ôl iddi. Pwysodd yn erbyn y wal a'i phenliniau'n crynu.

'Wiw!' meddyliodd. 'Be wna i rŵan? Mi fyddai sŵn y panel yn agor yn siŵr o ddeffro Miss Preis a fedra i ddim mentro dod yn ôl ar ôl iddi hi godi rhag ofn iddi ddod i fyny a'm dal i yn ei stafell. Mi fyddai 'na le ofnadwy yma wedyn.'

Edrychodd eto ar y llun ar y wal. 'Peidiwch â phoeni,' sibrydodd wrth Elisabeth a Leusa. 'Mi fydda i'n siŵr o feddwl am gynllun.'

Cerddodd yn ôl ar hyd y coridor cul.

'Mi fydd yn rhaid imi gael help,' meddai wrthi'i hun. 'Mae'n rhaid imi berswadio rhywun i gadw Miss Preis o'i stafell er mwyn imi gael cyfle i agor y cwpwrdd cudd. Biti na fyddai Lowri yma i fy helpu i.'

Roedd Catrin a Siwan newydd ddeffro pan gyrhaeddodd Betsan ei stafell.

'Lle fuost ti?' gofynnodd Siwan. 'Am dro eto?'

'Ie,' atebodd Betsan a chymerodd anadl ddofn. 'Gwrandewch,' meddai. 'Mae arna i angen eich help chi. Rydw i am chwarae tric ar Miss Preis—rydw

i am wnïo gwaelod ei choban hi—ac mae'n rhaid imi gael llonydd yn ei stafell hi. Wnewch chi ei chadw hi'n brysur am ryw chwarter awr?'

'Gwnawn siŵr!' Roedd Catrin a Siwan wrth eu boddau. Doedden nhw ddim yn rhy hoff o Miss Preis ac roedden nhw'n falch o'r cyfle i ddial arni am ddifetha eu hwyl nhw.

'Beth am i un ohonon ni ddod efo ti i wnïo'r goban?' meddai Catrin ond roedd Betsan yn benderfynol o fynd ei hun.

'Mae'n well i chi'ch dwy ganolbwyntio ar ei chadw hi'n brysur,' meddai gan ysgwyd ei phen. 'Sut wnewch chi hynny? Oes gynnoch chi syniad?'

'Oes,' atebodd Catrin. 'Mi wna i smalio fy mod i'n sâl. Mi ro i bowdwr ar fy wyneb er mwyn edrych yn welw ac mi gei di, Siwan, fynd i nôl Miss Preis i ddod yma ata i. Mi ddyweda i bod gen i boen ofnadwy yn fy stumog. Rydyn ni'n siŵr o lwyddo i'w chadw hi yma am chwarter awr o leiaf.'

'Grêt!' Roedd Betsan wrth ei bodd efo'r syniad. 'Amser brecwast fyddai orau, pan fydd pawb arall wedi mynd i lawr y grisiau.'

Arhosodd y tair yn y stafell a gwrando ar y merched eraill yn sgwrsio wrth wisgo ac ymolchi.

'Dydych chi ddim yn dod i gael brecwast?' holodd Eirlys gan daro ei phen rownd y drws wrth fynd heibio.

'Y . . . Na . . . Dydw i ddim yn teimlo'n dda iawn,' atebodd Catrin a oedd yn ei gwely o hyd er bod Betsan a Siwan wedi gwisgo amdanyn.

Cyn hir, roedd y coridor yn berffaith ddistaw ac aeth y merched ati i roi powdwr gwyn ar wyneb Catrin. 'Gwylia rhag i Miss Preis anfon am ambiwlans yn syth,' chwarddodd Siwan ac yna, ar ôl rhoi cyfle i Betsan guddio yn y stafell molchi, rhedodd ar hyd y coridor gan weiddi, 'Miss Preis! Miss Preis! Dewch ar unwaith! Mae Catrin yn wael ofnadwy!'

PENNOD 9

Cuddiodd Betsan yn berffaith ddistaw y tu ôl i ddrws y stafell molchi. Clywodd lais Siwan yn gweiddi.

'Ew! Mae hi'n actores dda,' meddyliodd. 'Mae Miss Preis yn siŵr o'i chredu hi.'

Ac yn wir, cyn pen dim, fe glywodd lais yr athrawes ar y grisiau bach.

'Rydw i'n dod, Siwan. Rydw i'n dod y munud yma.' Clywodd Betsan hi'n rhedeg heibio gan weiddi, 'Beth sy'n bod?'

Erbyn hyn roedd Catrin yn griddfan dros y lle a bu'n rhaid i Betsan fygu pwl o chwerthin wrth feddwl amdani'n gorwedd yn ei gwely'n wyn fel y galchen a Miss Preis yn ffysian uwch ei phen.

Ond doedd ganddi ddim amser i'w wastraffu. Cyn gynted ag y clywodd yr athrawes yn mynd i mewn i'r stafell at Catrin, sleifiodd allan o'r stafell molchi a rhedodd yn ysgafn ar hyd y coridor cul. Wnaeth hi ddim arafu hyd yn oed ar ôl troi'r gornel i ran dywyll y coridor. Roedd hi'n gwybod ei ffordd yn iawn bellach a fu hi fawr o dro yn agor y drws trwm ac yn mynd trwyddo i ben y grisiau mawr. Safodd yno i wrando am funud ond roedd y lle yn berffaith ddistaw.

'Mae pawb wedi mynd i lawr i gael brecwast,' meddai wrthi'i hun a chamodd yn gyflym at ddrws stafell Miss Preis—hen stafell Harriet. Gwthiodd y drws yn agored a chroesodd y stafell at y grât.

'Rhosyn,' meddyliodd. 'Mae'n rhaid imi chwilio am rosyn.'

Roedd pob math o gerfiadau ar y paneli pren wrth ochr y grât ond, wrth lwc, dim ond un rhosyn. Cydiodd Betsan ynddo a cheisiodd ei droi. Symudodd o'r un fodfedd.

'Mae o'n sownd,' meddyliodd Betsan yn siomedig. 'Does neb wedi agor y cwpwrdd ers blynyddoedd.'

Cydiodd yn y rhosyn â'i dwy law, crensiodd ei dannedd a gwthiodd â'i holl nerth. O'r diwedd, teimlodd y rhosyn yn dechrau symud ac yna, yn sydyn, fe drodd ac ar yr un pryd fe lithrodd darn o'r panel pren yn ôl i ddatgelu'r cwpwrdd cudd. Yn ofalus, estynnodd Betsan ei llaw i mewn i'r cwpwrdd. Oedd, roedd rhywbeth yno—rhywbeth llyfn, oer. Cydiodd Betsan ynddo â'i dwy law. Roedd o'n drwm iawn ond llwyddodd i'w dynnu yn araf allan i'r golau. Yr Hydd Aur! Trysor y plas! Edrychodd Betsan arno a'i llygaid yn pefrio. Roedd o'n hardd ac yn werthfawr iawn, yn eiddo i bobl y sir. Ond nid dyna'r peth pwysicaf.

'Mi fydd pawb yn gwybod nad oedd Leusa yn lleidr rŵan,' meddyliodd Betsan. 'Ysgwn i oes 'na rywbeth arall yn y cwpwrdd?'

Gosododd yr Hydd Aur yn ofalus ar y silff ben tân a rhoddodd ei llaw i mewn i'r cwpwrdd cudd eto. Oedd, roedd rhywbeth arall yno. Fe'i tynnodd allan ac edrychodd arno mewn syndod. Yn ei llaw roedd llyfr bychan

coch a'r geiriau DYDDIADUR HARRIET ar ei glawr.

'Efallai bod yr hanes i gyd yn hwn,' meddai Betsan wrthi'i hun gan ddechrau ei ddarllen yn eiddgar. Roedd y tudalennau wedi eu llenwi ag ysgrifen hen-ffasiwn daclus.

'Mae tad Elisabeth yn ei ffafrio hi bob amser,' darllenodd, *'ond rwyf innau'n dysgu sut i'w blesio. Addawodd brynu dillad newydd imi. Mae'n talu i fod yn glên!'*

Roedd hanes helynt y ceffyl yno a hanes y modrwyau ac oedd, roedd y cynllun i gael gwared â Leusa yno hefyd!

'Fe lwyddodd Leusa i ddianc ond ni ddaw fyth yn ôl. Credodd pawb fy stori.'

Trodd Betsan at dudalen olaf y llyfr bychan a darllenodd,

'Mae tad Elisabeth yn wael iawn ac mae holl bobl y plas yn benisel. Credant bod y teulu'n anlwcus am fod yr Hydd Aur wedi diflannu. Dim ond Mam a finnau a ŵyr bod yr Hydd yn y

plas o hyd, wedi ei guddio yn y cwpwrdd cudd y tu ôl i'r panel yn fy llofft. Dim ond cydio yn y rhosyn a'i droi a daw'r Hydd i'r golwg. Anodd yw peidio â chwerthin am eu pennau.'

Druan o Harriet! Am funud teimlodd Betsan dosturi at y ferch chwerw.

'Anlwcus fu hithau, wedi'r cwbl,' meddyliodd. 'Mi gafodd hi a'i mam eu lladd mewn damwain yn fuan wedi iddi hi sgwennu hwn . . . Ond mae digon o'r hanes yma. Mi fydd pawb yn gwybod bod Leusa'n ddieuog.'

Yn sydyn, clywodd lais.

'A beth ydych chi'n ei wneud yn stafell Miss Preis?'

Mr. Lewis oedd yno, a golwg flin iawn ar ei wyneb. Ac yna agorodd llygaid yr athro yn fawr. Roedd yn edrych heibio i Betsan, yn rhythu ar y silff ben tân.

'Yr Hydd Aur!' meddai gan gamu ymlaen a chodi'r trysor yn ofalus. 'Betsan Morgan! Sut daethoch chi o hyd i hwn? Ble'r oedd o?'

'Yn y cwpwrdd cudd yma,' atebodd Betsan. 'Mae'n stori hir ond mae'r hanes i gyd yma yn nyddiadur Harriet.'

Cymerodd Mr. Lewis y dyddiadur a throi'r tudalennau'n araf gan ddarllen pob gair. Safai Betsan wrth ei ochr a'i meddwl yn gweithio'n gyflym.

'Mae'n rhaid imi fod yn ofalus,' meddai wrthi'i hun, 'neu mi fydd pawb yn dod i wybod fy nghyfrinach i. Does arna i ddim eisiau i neb arall wybod fy mod i wedi bod yn ôl i'r gorffennol.'

O'r diwedd, caeodd Mr. Lewis y llyfr coch bychan a throdd i edrych ar Betsan.

'Sut roeddech chi'n gwybod bod y trysor a'r dyddiadur 'ma yn y cwpwrdd cudd?' gofynnodd gan syllu i fyw ei llygaid hi.

Ond roedd Betsan wedi cael amser i feddwl. Roedd hi'n gwybod beth roedd yn rhaid iddi hi ei ddweud.

'Doedd y dyddiadur ddim yn y cwpwrdd cudd,' meddai. 'Mi ddois i o hyd i hwnnw yn yr hen gwpwrdd cerfiedig yng nghornel y stafell ddosbarth pan ofynnoch chi imi ei dacluso amser chwarae ddoe. Wedyn, ar ôl darllen y dyddiadur, rôn i'n gwybod lle'r oedd y trysor.'

'Wel,' meddai Mr. Lewis. Roedd o wedi llwyr anghofio ceryddu Betsan am fod yn stafell Miss Preis. 'Mae'n well i chi ddod efo fi, Betsan. Mae gynnon ni waith ffonio i'w wneud. Mi fydd pawb wedi gwirioni bod yr Hydd Aur wedi ei ddarganfod o'r diwedd.'

Fe ffoniodd Mr. Lewis bobl bwysig y Cyngor Sir ac fe ddaethon nhw i Blas yr Hydd ar unwaith i weld y trysor.

'Mi fyddwn ni'n cadw'r trysor yn yr amgueddfa yn y dref,' meddai un ohonyn nhw wrth Betsan. 'Ond mi fydd 'na wobr sylweddol i chi. Beth hoffech chi ei gael?'

'Mi hoffwn i i bawb gael gwybod nad oedd Leusa yn lleidr,' atebodd Betsan ac addawodd y dyn y byddai'r cyngor yn rhoi hysbysebion yn y papurau newydd i gyd i ddweud bod y trysor yn ddiogel a bod Leusa'n ddieuog.

Erbyn y pnawn roedd pobl y papurau newydd a'r teledu wedi clywed yr hanes ac roedd y lle yn berwi o newyddiadurwyr a phobl camerâu. Fe gafodd y plant i gyd dynnu eu lluniau ar gyfer y papur a Betsan yn eistedd yn eu canol yn dal yr Hydd Aur ar ei glin. Bu bron i Catrin druan golli'r holl gyffro gan iddi gael gwaith i berswadio Miss Preis ei bod yn ddigon da i godi! Roedd Siwan a hithau dipyn yn flin efo Betsan ar y dechrau am eu twyllo trwy ddweud ei bod am chwarae tric ar yr athrawes ond buan iawn y maddeuon nhw iddi ar ôl sylweddoli na fyddai gwersi ym Mhlas yr Hydd y diwrnod hwnnw.

Bu'r hanes i gyd ar *Newyddion Saith* y noson honno ac yn fuan wedyn galwodd Mr. Lewis ar Betsan i ddod o'r disgo i siarad ar y ffôn.

'Mae eich tad a'ch mam am siarad efo chi,' meddai.

Roedd rhieni Betsan wedi gweld y newyddion ac roedd arnyn nhw eisiau llongyfarch eu merch a chael mwy o'r hanes. Ac roedd gan Betsan rywbeth i'w ofyn i'w mam.

'Ydych chi'n gwybod mwy am fy hen-hen-hen-nain?' gofynnodd. 'I ble'r aeth hi ar ôl bod yn byw yn y plas 'ma?'

'Dydw i ddim yn siŵr,' atebodd ei mam, 'ond rydw i'n meddwl imi glywed Nain yn dweud ei bod hi wedi bod yn gweithio ar fferm yn Sir Feirionnydd. Mi briododd wedyn ac aeth i fyw i rywle ym Mhowys. Mi gafodd lond tŷ o blant, ac mi fu fyw i fod yn hen wraig. Ond roedd hi dan ryw gwmwl. Doedd hi byth yn fodlon dod i'r ardal yma am ryw reswm.'

'Diolch, Mam,' meddai Betsan. Roedd hi'n gwybod rŵan i bwy roedd hi'n perthyn.

Rhoddodd y derbynnydd i lawr ac aeth allan o'r swyddfa ac i fyny i ben y grisiau mawr. Safodd yn llonydd o flaen y darlun ac edrychodd ar y ddwy ffrind.

'Leusa Williams, fy hen-hen-hen-nain,' meddyliodd, 'ac Elisabeth Wyn ei ffrind gorau.'

Plygodd ymlaen yn sydyn a chraffodd yn fwy manwl ar y llun. Roedd hi bron yn siŵr bod y ddwy yn gwenu.

'Maen nhw mor falch bod y trysor yn ddiogel a bod pawb yn gwybod y gwir,'

meddai Betsan wrthi'i hun. 'Anghofia i fyth mo'r amser ges i yma. Ew! Mi fydd Lowri'n genfigennus pan a' i adra i ddweud yr hanes. Ddyweda i mo'r cwbl wrthi hi 'chwaith. Mi fydd yn rhaid imi gadw fy nghyfrinach i mi fy hun am byth!'

Gwenodd eto ar y ddwy ferch yn y darlun a rhedodd i lawr y grisiau mawr i ymuno â'i ffrindiau newydd yn y disgo.